Klaus Baumgart

Das große **LAURAS STERN** Buch

Klaus Baumgart

Das große LAURAS STERN Buch

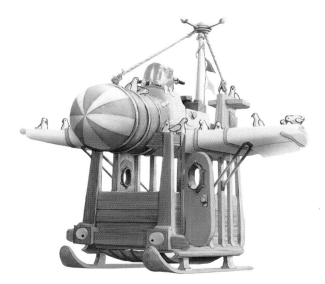

Text von Cornelia Neudert

Klaus Baumgart, Jahrgang 1951, studierte Visuelle Kommunikation an der Hochschule der Künste in Berlin und schloss als Diplom-Grafik-Designer ab. Mit Frau und Tochter lebt er in Berlin, wo er viele Jahre als Art Director in einer Werbeagentur arbeitete. Seit Sommer 2002 lehrt er als Professor für Kommunikationsdesign an der Berliner Fachhochschule für Technik und Wirtschaft.

Klaus Baumgart gehört mit seinen weltweit rund 2,2 Millionen verkauften Büchern in der Reihe „Lauras Stern" zu den international erfolgreichsten Bilderbuchkünstlern. Sein Erfolgstitel *Lauras Stern* ist mittlerweile in 26 Sprachen übersetzt und der renommierte Künstler wurde mit zahlreichen internationalen Preisen ausgezeichnet. Neben seiner Tätigkeit als Autor und Illustrator war Klaus Baumgart seit Ende 1999 an den Produktionsarbeiten zur filmischen Umsetzung seiner Bilderbuchfigur Laura beteiligt und betreute Lauras erste Schritte ins Fernsehen ebenso intensiv wie nun ihren Sprung ins Kino. Das Buch zum Kinofilm *Lauras Stern* entstand wie der Erstleser-Band *Laura kommt in die Schule* in Zusammenarbeit mit Cornelia Neudert.

Cornelia Neudert wurde 1976 in Eichstätt geboren.
Sie studierte deutsche und englische Literaturwissenschaft sowie Kunstgeschichte in München und Pisa.
Seit einigen Jahren arbeitet sie als Reporterin und Rätsel- und Geschichtenerfinderin für den Bayerischen Rundfunk sowie als Kinderbuch-Autorin.

© 2005 der kartonierten Ausgabe:
Baumhaus Buchverlag GmbH, Frankfurt am Main
Unter Verwendung von Filmbildern aus dem Kinofilm *Lauras Stern*
© Rothkirch/Cartoon-Film, Warner Bros. Entertainment GmbH,
MaBo und Comet Film
ISBN 3-8339-0091-1

Gesamtverzeichnis schickt gern: Baumhaus Verlag,
Juliusstraße 12, D-60487 Frankfurt am Main
http://www.baumhaus-verlag.de

5 4 3 2 1 05 06 07 2008

Inhaltsverzeichnis

Der Umzug

Laura schwebt durchs All. Am Fenster ihrer Rakete ziehen
Planeten und Monde vorüber, sie fliegt durch Sternennebel
und Lichtwolken.

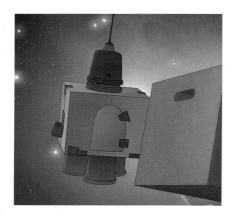

„Gut, dass ich meine Rakete habe",
denkt Laura. „Mit ihr kann ich weit
wegfliegen, immer wenn ich will!"
Das Dumme ist nur, dass sie irgend-
wann auch wieder landen muss. Und
als Laura weiter zum Fenster hinaus-
sieht, merkt sie, dass es bald so weit
ist. Draußen schweben jetzt nämlich
Stühle und Schränke statt Planeten, Bücher kreisen wie Monde
um eine leere Kiste, und Tommys kleiner Beschütz-mich-Hund
zischt vorbei wie ein Komet. Die Rakete senkt sich und fliegt in
die fremde Stadt zu dem fremden Haus in der fremden Straße. Sie
landet in dem fremden Zimmer, das jetzt Lauras Zimmer sein soll.
Laura krabbelt heraus. Von außen sieht ihre Rakete fast genauso
aus wie die anderen blöden Pappkartons, die überall herumstehen
und in denen noch Lauras Spielsachen verpackt sind. Heute sind
sie umgezogen: Lauras Papa, Lauras Mama, Lauras kleiner Bruder
Tommy und die Katze Muschka. Und natürlich Laura.
Lauras Mama hat nämlich eine neue Arbeit gefunden, und zwar in
der Oper. Laura hat bisher gar nicht gewusst, was das ist, denn eine
Oper gibt es nur in großen Städten und nicht in dem kleinen Dorf,
in dem sie bislang gewohnt haben.

„Eine Oper ist wie ein Theater", hat Mama Laura erklärt,
„aber die Schauspieler sprechen dort nicht, sondern sie singen!"
Und damit der Gesang noch schöner klingt, spielen eine Menge
Leute auf Instrumenten dazu.
„Aber wäre das nicht auch ohne Mamas Cello gegangen?",
denkt Laura jetzt und schaut sich in ihrem neuen Zimmer um.

Da stehen zwar ihre alten Möbel, aber trotzdem sieht alles ein bisschen falsch aus. Und vor dem Fenster? Was ist da eigentlich? Laura wirft einen Blick hinaus und erschrickt: Vor dem Fenster ist nichts so, wie es sein soll! Überhaupt nichts! Da ist eine gepflasterte Dachterrasse, und dahinter ist das Hausdach. Und dahinter ein Schornstein und dahinter ein anderes Hausdach und wieder Schornsteine.

Laura dreht sich um und rennt aus dem Zimmer. Mama und Papa
haben gerade die letzten Kisten in die Wohnung geschleppt,
Tommy krabbelt suchend herum und Muschka rennt aufgeregt
zwischen den dreien hin und her.

„Mein Apfelbaum ist nicht da!", ruft Laura. „Die Wiese fehlt auch!
Und das Vogelhäuschen! Meine Wippe! Meine Blumen! Und mein
Lieblingsplatz auf meinem Hügel …!"

Mama und Papa sehen sich erschrocken an. Aber da brüllt Tommy
dazwischen: „Mein Beschütz-mich-Hund ist weg!!"

Das ist ein Notfall. Dringender als Lauras Apfelbaum. Denn ohne
seinen Beschütz-mich-Hund kann
Tommy nicht leben. Papa, Mama
und Laura beginnen zu suchen.
Aber der Beschütz-mich-Hund ist
nicht in den Reisetaschen, nicht in
den Umzugskisten und nicht unter
den Möbeln. Er ist wirklich weg.
Tommy heult.

Vielleicht ist der Hund ja noch gar nicht hier oben in der Wohnung? Laura sieht zum Fenster hinaus. Dort auf der Straße haben sie vorhin ihre Sachen aus dem Umzugsauto geladen. Und tatsächlich! Da! Ganz allein steht Tommys Beschütz-mich-Hund unten auf dem Gehweg!

„Ich hab ihn gefunden!", schreit Laura. Wie der Blitz ist Tommy neben ihr und späht ebenfalls hinunter.

„Komm, wir gehen ihn holen", sagt Laura zu ihm und rennt los. Tommy rennt hinterher.

Die neue Wohnung liegt im fünften Stock. Die beiden müssen also eine Menge Treppenstufen hinunterlaufen bis sie unten ankommen. Das braucht Zeit. Und währenddessen entdeckt noch jemand Tommys Hund. Nämlich Max.

Max wohnt im selben Haus, in das Laura und Tommy heute ein-
ziehen, und zwar in der Wohnung gleich neben ihnen. Aber davon
weiß er noch nichts. Und natürlich weiß er auch nicht, dass Laura
und Tommy schon unterwegs sind, um den Beschütz-mich-Hund
zu retten.

Max ist gerade zur Pizzeria an der Ecke geradelt und hat eine Pizza
geholt. Jetzt, auf dem Rückweg, bemerkt er Tommys Hund. Er steigt
vom Rad und legt die Pizzaschachtel auf den Kofferraum eines
Autos, das am Straßenrand parkt. Dann hebt er den Hund auf.
„Was machst du denn hier so alleine?", fragt er. Der Hund gibt
keine Antwort. Schließlich ist er aus Holz.

„Auf dem Gehweg kann ich dich jedenfalls nicht stehen lassen", fährt Max fort und setzt den Hund erst mal zu der Pizza auf den Kofferraumdeckel. Dann schiebt er sein Fahrrad zur Hauswand. Der Fahrradständer funktioniert nämlich nicht richtig, und es gibt jedes Mal Ärger, wenn das Rad umfällt und gegen ein Auto oder einen Fußgänger kracht.

In diesem Moment kommen Laura und Tommy aus der Haustür gestürzt. Die beiden sehen sich um, aber Tommys Hund steht nicht mehr da, wo er gerade noch gestanden hat.

„Wo ist er denn nur?", schnieft Tommy.

Max will gerade fragen, ob sie den kleinen Holzhund suchen, den er gefunden hat, da brüllt Tommy: „Mein Beschütz-mich-Hund! Er fährt weg!"

„Fährt weg? Wieso fährt er weg?", denkt Max und dreht sich um. Tatsächlich! Der Hund fährt weg! Und zwar mit dem Auto! Der Besitzer ist zurückgekommen und hat nicht gemerkt, dass auf seinem Kofferraumdeckel etwas liegt, das dort nicht hingehört.

„Halt! Stopp! Meine Pizza!", schreit Max. Er schwingt sich auf sein Rad und tritt in die Pedale. Aber er hat Laura übersehen. Sie ist nämlich auch losgerannt, dem Auto hinterher. Max kann seinen Fahrradlenker gerade noch herumreißen, aber Laura stolpert und fällt hin.

„Hey! Max!" – „Vorsicht!" – „Hast du keine Augen im Kopf?!" „Auch das noch!", denkt Max. Harry und die anderen Kinder von nebenan! Plötzlich mitten auf dem Gehweg vor ihm! Wieder reißt Max seinen Lenker herum und bremst, dass sein Hinterrad über den Teer quietscht.

„Du Spinner!", sagt Harry. Max beachtet ihn gar nicht. Harry ist ein Blödmann. Es lohnt sich nicht, sich über ihn aufzuregen. Stattdessen starrt Max dem Auto hinterher und denkt: „Mist! Meine Pizza seh ich nicht mehr wieder."

Aber er täuscht sich. Jetzt muss nämlich auch der Autofahrer bremsen, denn die Ampel vor ihm schaltet auf Rot. Hund und Pizza werden in hohem Bogen vom Kofferraumdeckel geschleudert. Der Beschütz-mich-Hund kracht auf den Gehweg, die Pizzaschachtel klappt auf und die Pizza platscht über ihn. „Mein Hund!!", kreischt Tommy und rennt los, Laura humpelt hinterher.

„Oh je. Hoffentlich ist ihm nichts passiert", denkt Max. Die Pizza ist ihm inzwischen egal. Die ist sowieso nicht mehr zu retten. Tommy hebt seinen Hund auf. Tomaten- und Käsereste tropfen von ihm herunter.

„Guck mal, ganz klebrig", sagt Tommy traurig.
Laura tröstet ihn: „Den baden wir, und dann ist alles wieder gut."
Dass dem Hund beim Sturz ein Rad abgebrochen ist, können die beiden unter der Pizzamantsche nicht sehen.

Harry beginnt zu lachen. Seine Freunde, die neben ihm stehen, lachen auch.

„Mmm! Leckere Pizza für's Hundi!", grinst Harry.

„Lasst uns in Ruhe!", sagt Laura. Aber die drei kichern weiter.

Da nimmt Laura Tommy an der Hand.

„Komm", sagt sie, „mit solchen Idioten wollen wir nichts zu tun haben."

„Nein, wollen wir nicht", stimmt Tommy ihr bei.

Und sie verschwinden im Haus.

Auf dem Dach

Papa hat Laura zwar ein Pflaster auf ihr aufgeschürftes Knie geklebt, aber es tut immer noch ein bisschen weh. Deshalb setzt sie sich in ihrem Zimmer aufs Bett und drückt ihren Bär und ihren Minnie-Hasen an sich.
„Hier bleiben wir nicht", flüstert sie den beiden Stofftieren zu. „Morgen fahren wir wieder nach Hause! Versprochen!"

Nach einer Weile kommt Muschka herein, setzt sich vor die Tür der Dachterrasse und miaut. Laura steht auf und öffnet ihr die Tür. Da entdeckt sie etwas. Auf der Terrasse liegt ein kleines Spielzeugflugzeug.
„Na sowas", murmelt sie erstaunt.

Als Laura das Flugzeug aufhebt, merkt sie, dass darauf mit Klebeband etwas befestigt ist. Sie macht das Klebeband ab und hält das Rad in der Hand, das Tommys Beschütz-mich-Hund verloren hat! „Tommy!", ruft Laura aufgeregt und läuft wieder nach drinnen. „Tommy! Rate mal, was ich gefunden habe!"

Tommy ist glücklich, als sie ihm das Rad zeigt. Er bringt es gleich zu Papa, damit der seinen Beschütz-mich-Hund wieder ganz machen kann. Aber Laura ist jetzt neugierig geworden. Woher ist das Flugzeug gekommen? Doch wohl von oben vom Dach! Aber wer hat es geschickt? Vielleicht eines der Kinder von vorhin? Der Junge, der sie nicht ausgelacht hat?

Laura überlegt nur kurz, dann nimmt sie das Flugzeug in die Hand und klettert über das Geländer der Terrasse aufs Dach. Das ist nicht schwierig, weil es fast flach war. Außenrum läuft eine Mauer, so dass man ganz gemütlich darauf spazieren gehen kann. So wie Muschka. Die kommt jetzt zu Laura gelaufen und reibt den Kopf an ihrem Bein. „Na? Hast du hier oben schon alles erforscht?", fragt Laura. „Miau!", macht Muschka. Dann dreht sie sich um und läuft auf den großen Schornstein zu. „Ob sie mir was zeigen will?", denkt Laura. Sie klemmt das Flugzeug unter den Arm und folgt der Katze. Als sie um den großen Schornstein schaut, hält sie vor Staunen den Atem an. Dort steht etwas absolut Großartiges! Ein Raumschiff, gebaut aus alten Möbeln, Blech- und Plastikteilen.

Nicht so klein wie Lauras Pappkarton-Rakete, sondern riesig groß! Darin hätten nicht nur Laura und ihre Stofftiere Platz, sondern auch noch Tommy und Papa und Mama und sogar Mamas Cello.

Muschka huscht in das Raumschiff hinein.

„Nicht! Komm wieder raus!", ruft Laura leise.

Aber Muschka kommt nicht. Da klettert Laura ihr hinterher.

„Muschka?", flüstert sie.

Aus dem hinteren Teil des Raumschiffes kommen plötzlich komische piepsende und ratternde Geräusche.

„Muschka! Mach nichts kaputt!"

Laura reckt den Hals. Auf einmal springt zwischen den Sitzen eine Katze hervor. Aber es ist nicht Muschka. Es ist überhaupt keine

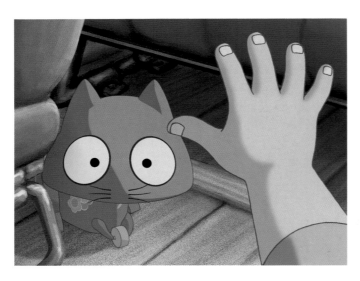

lebendige Katze, sondern eine Katze aus Blech! Eine Art Blechkatzen-Roboter! Laura erschrickt und macht einen Schritt rückwärts. Dabei fällt ihr das Flugzeug herunter und es zerbricht. „Auweia", murmelt sie und hebt die Teile auf.

In diesem Moment kommt Max in das Raumschiff. Es gehört nämlich ihm. Er hat es selbst gebaut, genauso wie das Flugzeug, mit dem er das Rad von Tommys Hund zu Laura hat segeln lassen. Max hat das Rad im Rinnstein gefunden, nachdem Laura und Tommy schon wieder im Haus verschwunden waren.

Als er jetzt Laura in seinem Raumschiff sieht, bleibt er verwundert stehen.

„Was machst du denn hier?", fragt er.

„Ich suche meine Katze", sagt Laura verlegen.

Da entdeckt Max das kaputte Flugzeug in ihrer Hand.

„Du hast es zerbrochen?", fragt er entsetzt. „Warum hast du das denn gemacht?"

„Das war ein Unfall", stottert Laura. Aber dann erinnert sie sich auf einmal, dass sie sich wegen Max das Knie aufgeschürft hat, und sie wird wütend.

„Ein Unfall! Genau wie heute Vormittag, als du mich umgefahren hast!", sagt sie.

Max schüttelt den Kopf.

„Du bist doch in mich reingerast!", erwidert er.

„Nein! Du in mich!", ruft Laura. „Und bestimmt hast du auch Tommys Hund auf das Auto gestellt!"

Darauf sagt Max nichts.

„Siehst du! Ich hab Recht!", sagt Laura grimmig.

Muschka ist währenddessen unter den Sitzen aufgetaucht und schaut zwischen den beiden hin und her.

„Komm Muschka!"

Laura hebt die Katze hoch und schiebt sich an Max vorbei, raus aus dem Raumschiff. Max starrt zornig auf das zerbrochene Flugzeug, das sie fallengelassen hat, und ruft ihr hinterher: „Na, du hast ja 'ne komische Art, dir Freunde zu machen!"

Aber Laura schreit zurück: „Ich brauche keine Freunde! Morgen ziehe ich wieder nach Hause!"

„Umso besser!", brüllt Max. „Dann muss ich dich wenigstens nicht wieder sehen!"

Erst später fällt ihnen beiden ein, dass sie eigentlich keine Ahnung haben, wie der andere überhaupt heißt.

Die Sternschnuppe

Laura liegt in ihrem Bett. Sie denkt an
die Kinder auf der Straße, die sie so
gemein ausgelacht haben, und
sie denkt an den Jungen,
dem das Raumschiff
gehört. Der Blöd-
mann. Und die
anderen auch!
Alles Blöd-
männer und
Idioten!

Neben sich hat Laura
ihren Bären und ihren
Hasen liegen. Aber das sind nur Stofftiere.
Mit denen kann sie nicht richtig reden. Soll sie vielleicht in
ihre Rakete steigen und wegfliegen? Nein. Das ist auch nur eine
alte Pappschachtel.
„Ich will nach Hause!", denkt Laura traurig.

Unruhig wälzt sie sich im Bett hin und her. Sie ist überhaupt nicht müde. Plötzlich hört sie ein Geräusch. Es kommt von draußen vor dem Fenster. Laura fährt hoch und späht nach draußen. Auf der Dachterrasse läuft diese merkwürdige Blechkatze herum!

„Was macht sie da?", denkt Laura. Und weil sie sowieso nicht schlafen kann, steht sie auf und klettert wieder aufs Dach hinaus. Jetzt, in der Nacht, sieht sie die Lichter der großen Stadt. Und darüber leuchten die Sterne. Die hat Laura zu Hause auch immer angeschaut.

„Sie sind noch alle da", denkt sie, und plötzlich fühlte sie sich nicht mehr ganz so traurig wie zuvor.

Die Blechkatze trippelt Laura vor den Füßen herum und piepst und surrt. Laura hebt sie hoch und fragt: „Warum bist du denn so aufgeregt?"

Die Katze surrt weiter und dreht den Kopf so, dass sie in den Sternenhimmel sehen kann. Mit einem Mal fährt ein Windstoß über die Dächer. Er bläht Lauras Schlafanzug, und Laura muss sich gegen ihn stemmen.

„Was für ein Wind!", murmelt sie.

Aber gleich darauf kommt eine noch stärkere Windböe. Diesmal fegt sie Laura ins Gesicht und reißt ihr gleichzeitig die Blechkatze aus der Hand. Laura schreit erschrocken auf.

Da leuchtet am Himmel plötzlich ein Stern auf, viel heller als die anderen. Laura wird von der Katze abgelenkt und dreht den Kopf nach oben. Der Stern löst sich und fällt als Sternschnuppe langsam zur Erde nieder.

„Jetzt darf ich mir was wünschen", denkt Laura. Aber gleich darauf vergisst sie wieder, was sie eben gedacht hat, denn die Stern-schnuppe tut etwas, was keine der Sternschnuppen, die Laura früher gesehen hat, je getan hat. Sie erlischt nicht!

Mit einem Glitzerschweif aus Sternenstaub hinter sich rast sie über die Dächer der Stadt. Und zwar direkt auf Laura zu!

„Uuuu?", macht Laura und duckt sich ängstlich.

Die Sternschnuppe saust über das Nachbardach und dann dicht
über Lauras Kopf hinweg. Auf der anderen Seite des Hauses stürzt
sie zwischen ein paar Baumkronen und verschwindet.
„Was war das denn?", flüstert Laura und starrt eine Weile mit aufgerissenen Augen hinunter in den dunklen Park. Aber von oben
ist nichts mehr zu sehen.
Laura rennt ins Haus, schnappt sich ihre Jacke und eine
Taschenlampe und schleicht leise, um Tommy und ihre Eltern
nicht zu wecken, nach unten.

Der Park ist still. Das Licht von Lauras Taschenlampe geistert über den dunklen Rasen, die Büsche und Bäume. Ein paar Kaninchen, die im Park leben, heben schnuppernd die Schnauzen. Etwas Merkwürdiges geschieht heute Nacht in ihrem Park! Von den Blättern der Bäume tropfen Lichtfunken. Wie glühende Schneeflocken sinkt der Sternenstaub auf die Wiese herunter. Laura streckt die Hand aus, und eines der Staubkörnchen fällt hinein. Es glüht noch einen Moment in ihrer Hand, dann – plipp! – erlischt es. „Oh! Ist das schön!", staunt Laura und sieht zu, wie um sie her der glimmende Sternenstaub schneit.

Da entdeckt sie in der Wiese eine Furche, wo die Erde aufgerissen ist, und am Ende der Furche einen kleinen Krater. Aus diesem Krater dringt ein sanftes Leuchten.

Laura geht näher heran und entdeckt in dem Krater – einen kleinen Stern!

„Was machst du denn hier?", fragt Laura überrascht. „Bist du vom Himmel gefallen?"

Sie kniet sich hin und hebt den Stern vorsichtig auf.

„Du Armer! Hoffentlich hast du dir nicht weh getan!"

Da bemerkt Laura, dass dem Stern eine Zacke fehlt. Suchend sieht sie sich um. Aber da ist nichts. Keine Zacke.

„Hm. Vielleicht hast du sie ja woanders verloren?"

Laura hebt den Kopf und schaut durch die Baumwipfel zu den anderen Sternen am Himmel hinauf.

„So weit!", murmelt sie. „Dann bist du jetzt hier unten ganz alleine. Weit weg von daheim. Wie ich. – Weißt du was, ich nehme dich einfach mit zu mir, dann musst du nicht mehr allein sein."

Die Park-Kaninchen sehen, wie Laura den Stern an sich drückt und mit ihm zurück ins Haus geht. Aber das ist nicht alles, was sie beobachten in dieser merkwürdigen Nacht. Außer Laura ist nämlich noch ein Kind im Park: Max. Er hat den Stern nicht herunterfallen sehen, aber er hat Laura auf dem Dach gehört, ist aufgestanden und ihr hinterher in den Park geschlichen. Lauras Taschenlampenschein geistert zwischen den Bäumen, und Max will ihr folgen, da entdeckt er plötzlich in der Wiese vor sich ein Leuchten. Er fasst zwischen die Grashalme und hebt das leuchtende Ding auf. Es ist schmal und länglich. An einer Seite läuft es spitz zu und auf der anderen sieht es aus, als wäre es irgendwo abgebrochen. Es ist die Zacke des Sterns. Beim Aufprall auf die Erde ist sie abgebrochen. Vor Max hat sie Angst. Deshalb liegt sie ganz still und lässt sich von ihm ins Haus tragen.

Gesucht und gefunden

In seinem Zimmer legt Max die Zacke auf den Tisch. Er will sie näher untersuchen. Deshalb dreht er sich um und holt sein Mikroskop aus dem Schrank. Die Zacke nützt die Gelegenheit. Sie springt vom Tisch und quetscht sich durch das Fenster, das nur angelehnt ist. Als Max sein Mikroskop auf den Tisch stellt, ist die Zacke verschwunden.

„Hä?", murmelt er. „Ich glaub, ich spinne. Eben war es doch noch da!"

Er beginnt zu suchen. Unter dem Tisch. Auf dem Boden. Im Papierkorb. Nichts.

Max schüttelt den Kopf. Hat er vielleicht nur geträumt? Da sieht er die Zacke wieder. Sie hüpft übers Dach, hinüber zu Lauras Wohnung. „Was?", keucht Max erstaunt. „Es bewegt sich? Das Ding kann sich bewegen?"

Er klettert aufs Dach hinaus und folgt der Zacke. Aber sie ist schneller und witscht durch ein anderes Fenster wieder ins Haus. Jetzt ist sie zwar schon in der richtigen Wohnung, aber noch nicht im richtigen Zimmer. Sie ist bei Tommy gelandet. Und der wacht jetzt auf.

„Hm?"

Als er die Zacke sieht – dieses leuchtende, hüpfende Ding – bekommt er Angst.

„Mama? Papa?", flüstert er und tastet nach seinem Beschütz-mich-Hund. Aber die Zacke hopst nur quer durch sein Zimmer, schlängelt sich dann unter der Tür durch in den Flur und ist wieder weg.

Laura hat währenddessen den Stern in ihr Zimmer gebracht und zeigt ihn ihrem Bären und ihrem Minnie-Hasen.

„Guckt mal, was ich im Park gefunden habe! – Er kann Glitzerstaub machen. Und er fühlt sich ganz schön an."

Vorsichtig streichelt Laura den Stern mit dem Finger und legt ihn auf den Tisch. Dann dreht sie sich um, zieht ihre Jacke aus und hängt sie an den Haken. Kaum schaut sie nicht mehr in seine Richtung, steht der Stern auf und hüpft ans andere Ende des Tisches. Er sucht nach seiner Zacke. Laura wendet sich wieder um. Sofort bleibt der Stern ganz still stehen.

„War er nicht vorhin da drüben?", denkt Laura verwundert. Ihre Jacke rutscht, und sie muss sie noch mal aufhängen. In diesem Moment quetscht sich die Zacke durchs Schlüsselloch ins Zimmer. Glücklich hüpft der Stern ihr entgegen. Als Laura sich diesmal um-dreht, sieht sie, wie der Stern sich bewegt.

„Du lebst!", ruft sie. Da entdeckt sie die Zacke, die jetzt fröhlich
um den Stern herumspringt.
„Und das lebt auch! Ich glaub, ich träume!"
Laura starrt Stern und Zacke sprachlos an. Dann versteht sie.

„Das ist deine Zacke!", sagt sie. „Oh! Lass mich doch mal sehen!"
Aber der Stern und seine Zacke hüpfen wie wild im Zimmer
herum. Sie wollen sich nicht von Laura einfangen lassen.
„Pscht! Haltet doch still! Wir wecken noch Tommy auf,
wenn wir hier so rumtoben!", flüstert Laura ganz außer Atem.

Sie weiß ja nicht, dass Tommy längst wach ist. Mit gespitzten Ohren horcht er auf die Geräusche in Lauras Zimmer.

„Wollen wir mal nachschauen was da los ist?", flüstert er seinem Beschütz-mich-Hund zu. Der Beschütz-mich-Hund ist dafür nachzusehen. Also krabbelt Tommy mit klopfendem Herzen aus dem Bett.

Bei Laura ist es inzwischen wieder leiser. Stern und Zacke sind nämlich bei ihrem Herumgehopse gegeneinander gerempelt und auf den Boden gefallen.

„Das kommt davon, wenn ihr so rumhampelt", flüstert Laura. Sie hebt die beiden vorsichtig auf und legt sie auf ihren Tisch, um sie sich näher anzuschauen.

„So. Was machen wir jetzt?"

Laura überlegt. Und dann hat sie eine Idee. Ein Pflaster! Mit einem Pflaster kann sie die beiden Teile wieder zusammenkleben! Laura klappt ihren Arztkoffer auf und sucht ein schönes großes Pflaster aus. Damit klebt sie sorgfältig die Zacke wieder an den Stern.

„Ich hoffe, es sitzt nicht zu fest", sagt sie.

Der Stern wackelt mit seinen fünf Zacken und hopst auf den Tisch. Das Pflaster scheint zu halten.

„Schau, genau wie meins!"

Laura zieht ihre Schlafanzughose hoch und zeigt das Pflaster auf ihrem Knie.

Aber der Stern interessiert sich jetzt nicht für Lauras Pflaster.

Er muss ausprobieren, ob er wirklich wieder ganz ist.

Langsam löst er sich vom Schreibtisch und beginnt, nach oben zu schweben. Laura reißt vor Staunen die Augen auf.

„Du fliegst?", fragt sie.

Der Stern tanzt übermütig durch die Luft und sprüht Fünkchen von Sternenstaub. Er ist wieder ganz!

Laura klatscht begeistert in die Hände.

„Ich habe einen wunderbaren, leuchtenden, fliegenden Stern!", jubelt sie.

Bei dem wilden Tanz sind ein paar Sternenstaubfünkchen auf Lauras Stofftiere gefallen. Und plötzlich bemerkt sie, dass Bär und Hase anfangen, ihre Köpfe zu heben und Arme und Beine zu bewegen! Schließlich stehen sie ungelenk und tapsig auf und beginnen, auf Lauras Bett spazieren zu gehen.

„Du hast gemacht, dass sie sich bewegen, stimmt's?", ruft Laura, und der Stern schlägt als Antwort ein Rad in der Luft.

Noch jemand außer Laura beobachtet mit offenem Mund die Verwandlung der Stofftiere: Tommy. Er hockt schon eine ganze Weile vor Lauras Zimmertür und späht durchs Schlüsselloch. Wer aber von all dem, was in Lauras Zimmer vorgeht, gar nichts mitbekommt, ist Max. Er steht vor Lauras Zimmerfenster, aber die Vorhänge sind zugezogen.

Trotzdem bringt Max es nicht fertig, sich von der Stelle zu rühren. Erst als Laura ihre Stofftiere zugedeckt und sich in ihr eigenes Bett gekuschelt hat, erst als auch Tommy längst wieder in seinem Bett liegt und als Laura den Stern bittet, sein Licht auszumachen, erst dann schleicht auch Max in sein Zimmer zurück. Aber einschlafen kann er noch lange nicht.

Lauras Geheimnis

Als Laura am nächsten Morgen aufwacht,
schaut sie gleich nach dem Stern.
Er hat neben ihr auf dem Kissen
gelegen, als sie eingeschlafen ist.
Aber jetzt liegt er dort nicht mehr.
„Stern?", ruft sie. Nichts. Laura
springt auf und fängt an, ihre Bettdecke zu durchwühlen.
„Stern? Wo bist du??"
Sie hebt ihr Kopfkissen hoch, schaut unter
jeden Zipfel der Decke. Zuletzt kniet sie
sich hin und schaut unters Bett. Nichts.
Der Stern ist weg.

Plötzlich kommt Laura ein schrecklicher Gedanke.
Vielleicht war ja alles nur ein Traum?
Die Sternschnuppe, der Funkenregen im Park, die
Zacke und das Pflaster – alles nur geträumt!

Laura hört am Fenster ein Geräusch. Sie reißt die Vorhänge auf. Draußen steht Max und drückt die Nase gegen die Scheibe. Einen Moment lang starren sich die beiden erschrocken an, dann dreht Max sich um und rennt übers Dach davon.

Was der wohl hier wollte?

Aber Laura hat jetzt andere Probleme. Sie muss herausfinden, ob sie nur geträumt hat!

Noch einmal sieht sie sich suchend im ganzen Zimmer um. Dann fallen ihr die Stofftiere ein. Sie stürzt zu ihrem Puppenbett und ruft: „He, Bär! Bär! – Minnie-Hase?"

Der Bär rappelt sich unter der Decke hoch und der Hase fährt sich schläfrig mit der Pfote über die Knopfaugen. Lauras Herz beginnt wild zu pochen vor Freude.

„Ihr lebt! Also war's kein Traum!", jubelt sie.

Nur – wo ist der Stern hin verschwunden?

Laura verlässt ihr Zimmer. Als sie die Treppe hinuntergeht, hört sie aus der Küche schon Tommys Geplapper. Er steht bei Mama und erzählt ihr – von Lauras Stern!

„Wirklich, Mama! Er glitzert und macht Funken, und Laura hat ihn in ihrem Zimmer versteckt", sagt er gerade als Laura in die Küche gerannt kommt.

„Glaub ihm kein Wort, Mama! Tommy lügt!", ruft sie.

„Mhm", macht Mama. Sie hört nicht richtig zu, weil sie in der einen Hand das Telefon hält und mit der anderen Milch in einen Topf gießt.

„Ich lüge gar nicht!", protestiert Tommy. „Ehrlich, Mama! Ein echter Stern und er hat sogar Lauras Stofftiere lebönnigmmpf." Seine letzten Worte klingen ziemlich dumpf, denn Laura hat ihm schnell den Mund zugehalten.

„Halt bloß den Mund! Sonst ...!", zischt sie ihm ins Ohr. Tommy grummelt als Antwort etwas Unverständliches unter ihren Händen hervor. Da entdeckt Laura plötzlich den Stern.

Eigentlich entdeckt sie zuerst das Pflaster, das an der Küchentür vorbei ins Wohnzimmer schwebt. Denn der Stern ist im Tageslicht kaum zu sehen.

Hinter dem Stern her jagt Muschka. Sie will das Pflaster unbedingt fangen! Da lässt Laura Tommy los und rennt hinter Muschka her. „Nicht! Das ist nichts für Katzen!", ruft sie.

Endlich bekommt Laura den Stern zu fassen und presst ihn an sich. „Miau!", macht Muschka beleidigt, dreht sich um und schleicht davon. Aber in der Küche bereitet sich schon die nächste Katastrophe vor. Laura hört nämlich, wie Tommy sagt: „Guck, Mama! Lauras Bär und Lauras Hase! Sie sind lebendig! Und ich kann's beweisen! Das war der Stern mit seinem Zauberstaub. – Mama! Jetzt guck doch endlich mal!!"

Laura stopft den Stern unter ihr Hemd, rast in die Küche und reißt Tommy ihre Stofftiere aus der Hand. Mama ist zum Glück damit beschäftigt, übergelaufene Milch von der Herdplatte zu putzen.

„Tommy! Kannst du nicht endlich mal aufhören, dich in meine Sachen einzumischen?", faucht Laura und zerrt ihn aus der Küche.

„Das geht Mama und Papa gar nichts an. Es ist mein Stern! Mein Geheimnis!"

Tommy verzieht das Gesicht.

„Na gut", sagt er. „Aber dafür darf ich mir was wünschen!"

„Und was?", fragt Laura.

Tommy hält ihr seinen Beschütz-mich-Hund entgegen.

„Mach ihn lebendig!", sagt er.

Laura überlegt kurz. Dann hält sie ihm die Hand hin.

„Okay, du Erpresser", knurrt sie.

Tommy grinst und schlägt ein.

Die Oper

Der Stern hat mit seinem Lichtstaub auch Tommys Beschütz-mich-Hund lebendig gemacht und seither hält Tommy den Mund. Mama, Papa und Muschka erfahren nichts vom Stern. Und Max auch nicht. So oft er zu Lauras Fenster schleicht und versucht, etwas zu erspähen – er sieht nichts Ungewöhnliches, denn wenn drinnen etwas Ungewöhnliches geschieht, zieht Laura vorher die Vorhänge fest zu.

Eines Morgens sagt Mama: „Heute fahren wir zur Oper, damit ihr auch einmal seht, wo ich jetzt arbeite."

Die Oper ist ein großes Haus mitten in der Stadt. Vorne ist es mit riesigen Säulen und Figuren geschmückt. Und als Laura mit Mama und Papa und Tommy hineingeht, bleibt ihr der Mund offen stehen vor Staunen. Alles ist so groß und prächtig! Die breite Treppe, die sie hinaufgehen, ist mit Gold verziert, und auf dem Boden liegt ein weicher Teppich. Laura macht ihre Tasche etwas weiter auf, damit der Stern alles gut sehen kann. Denn natürlich hat sie ihn wieder dabei.

„Das sieht ja aus wie im Museum!", sagte sie. Mama nickt.
„Das Opernhaus ist auch schon über zweihundert Jahre alt", antwortet sie. „Und Tausende großer Musiker haben hier schon gearbeitet."
„Und jetzt arbeitest du hier", sagt Laura.

„Toll, nicht? Aber wartet erst mal bis ihr den Opernsaal seht!",
sagt Mama.

Der Opernsaal liegt in der Mitte des Opernhauses und ist die
Hauptsache. Er ist riesig und rund. Ganz unten auf dem Boden
stehen lange Reihen von Polstersesseln. Dann kommen an den
Wänden übereinander eins, zwei, drei, vier Balkone, auf denen
noch mehr Leute sitzen können. Und ganz oben an der Decke ist
ein Gemälde. Das sieht aus wie der Sternenhimmel. Alle Sessel
sind so gestellt, dass man von ihnen aus auf die Bühne schauen
kann. Vor der Bühne hängt jetzt ein schwerer roter Vorhang.
Aber am Abend, wenn Vorstellung ist, öffnet sich der Vorhang,
und die Zuschauer können die Geschichten sehen, die auf der

Aber jetzt geht Mama auf die Bühne hinauf und setzt sich auf einem Stuhl vor den Vorhang. Dann spielt sie für Laura und Papa und Tommy etwas auf ihrem Cello vor.

Laura beugt sich zu ihrer Tasche herunter und macht sie auf, damit der Stern besser hören kann, was Mama spielt. Da merkt sie, dass der Stern verschwunden ist! Erschrocken schaut Laura sich um. Hier zwischen den Sesseln ist er nirgends und oben bei den Balkonen sieht sie ihn auch nicht herumschweben. Laura schielt zu Papa und Tommy hinüber, aber die sind ganz versunken in Mamas Musik. Schnell rutscht Laura von ihrem Sessel und schleicht sich davon. Ob der Stern vielleicht hinter den Vorhang geschwebt ist?

Sie schiebt sich auf dem schmalen Sims zwischen Wand und
Orchestergraben nach vorne und quetscht sich durch den Spalt am
Rand des Vorhangs. Dahinter liegt groß und dunkel die Bühne.
„Hier ist ja fast noch mal so viel Platz wie auf der anderen Seite!",
denkt Laura. Sie geht vorsichtig über die hölzernen Bühnenbretter
und sieht sich staunend um. Von der Decke hängen Hunderte von
Lampen und große Gestelle, an denen riesige Bilder befestigt sind.
Ob das die „Bühnenbilder" sind, von denen Mama bei der Herfahrt
erzählt hat?

Plötzlich sieht Laura weiter hinten einen Lichtschein, der sich bewegt. Sie geht näher heran. Es ist ihr Stern! Er schwebt um eine große Wolke aus Pappkarton, die an der Wand lehnt.

„Das gefällt dir wohl, was?", fragt Laura.

Der Stern stäubt zur Antwort seine Glitzerfunken über einen Mond und eine Sonne aus Pappmaché. Die beiden beginnen, langsam nach oben zu schweben und sich zu drehen. Der Stern tanzt und dreht sich mit ihnen.

„Erinnert dich das an dein Zuhause?", fragt Laura. „An den Platz, von dem du kommst?"

Immer höher hinauf schwebt der Stern mit Sonne und Mond, immer höher hinauf in den dunklen Bühnenraum. Laura merkt plötzlich, wie weit weg er schon ist, und sie bekommt Angst.

„He! Stern! Wo willst du denn hin?", ruft sie leise. „Was hast du?"

Ganz fern schon drehen sich Sonne, Mond und Stern jetzt.

„Nicht! Nicht weiter! Bitte!"

Laura läuft ein paar Schritte, den Kopf im Nacken, und stolpert.

„Au!"

Der Stern hört sie nicht.

„Stern!", schreit Laura jetzt laut. „Sie vermissen uns sicher schon!
Mama wollte uns doch noch die anderen Zimmer hinter der Bühne
und den Eingang für die Musiker zeigen! Lass uns gehen! Bitte!"

Endlich kommt der Stern zu ihr zurück. Sonne und Mond hören
auf zu tanzen, sinken herunter und bleiben wieder still neben der
Wolke liegen. Der Stern setzt sich auf Lauras Hände und lässt sich
in die Tasche stecken. Laura atmet auf.
„Was war denn nur los mit dir?", murmelt sie. „Du hast mir echt
Angst gemacht!"

Heimweh

Später, bei der Heimfahrt im Auto, fragt Laura: „Du, Papa? Wohin gehören eigentlich Sterne?"

„Sterne?", sagt Papa überrascht. „In den Weltraum, würde ich sagen."

„Hm", macht Laura.

„Nicht in Kinderzimmer?", fragt sie dann weiter.

Papa grinst.

„Kann ich mir nicht vorstellen. So ein Stern ist schließlich ein riesiger Ball aus Feuer. Größer als die Erde", antwortet er.

Laura schüttelt den Kopf. Also Papa hat schon mal überhaupt keine Ahnung von Sternen. Deshalb fragt sie jetzt: „Mama? Können Sterne traurig sein?"

Mama denkt kurz nach und sagt dann: „Wer weiß? Vielleicht wenn sie sich einsam fühlen oder wenn sie weit weg von zu Hause sind?"

„Hm", macht Laura wieder.

Weit weg von zu Hause ...

Am Abend will Laura mit dem Stern Verstecken spielen. Das haben sie in den letzten Tagen oft gemacht und es war immer sehr lustig, denn der Stern denkt sich die tollsten Verstecke aus. Laura zählt bis zwanzig. Dann ruft sie: „Ich komme!"

Aber diesmal hat der Stern sich gar nicht versteckt. Er steht am Fenster und drückt seine Zacken an die Scheibe. Laura sieht zu ihm hinüber.

„Willst du nicht spielen?", fragt sie. Da bemerkt sie, dass das Licht des Sterns plötzlich anders aussieht. Es leuchtet nicht mehr so hell und zittert ein bisschen.

„Fühlst du dich nicht gut?", fragt Laura erschrocken. „Bist du krank, oder ..."

Ihr Blick wandert durchs Fenster nach draußen. Über den Dächern strahlen und funkeln am Himmel die anderen Sterne.

„Hast du etwa Heimweh, kleiner Stern?", fragt Laura leise.

Der Stern drückt seine Zacken fester an die Scheibe. „Möchtest du – nach Hause?" Der Stern rührt sich nicht. Laura schluckt. Mit zitternder Stimme fragt sie: „Soll ich dir das Fenster aufmachen?"

Da dreht sich der Stern zu ihr um und sprüht ein bisschen Sternenstaub. Laura streckt die Hand aus und dreht langsam den Fenstergriff. Dann öffnet sie das Fenster einen Spalt breit. Der Stern beginnt mit einem Mal, wieder heller zu strahlen. Laura spürt, dass ihr die Tränen kommen.

„Ich weiß ja, dass du eigentlich nicht hierher gehörst", schnieft sie. „Und sicher fehlen dir deine Freunde."

Der Stern hopst nach draußen aufs Fensterbrett. Aber er fliegt noch nicht weg.

„Schade, dass du schon gehst. Eigentlich sind wir doch auch gute Freunde geworden", murmelt Laura. Der Stern löst sich vom Fensterbrett und beginnt wegzuschweben. Aber da streckt Laura hastig die Arme vor und fängt ihn wieder ein. Sie zieht ihn ins Zimmer zurück und macht das Fenster zu.

„Ich weiß!", sagt sie. „Du hast gar kein Heimweh! Du bist einfach nur müde! Das war auch ein aufregender Tag heute und jetzt brauchst du Ruhe!"

Sie trägt den Stern hinüber zum Puppenbett, legt ihn hinein und deckt ihn sorgfältig zu.

„Jetzt schläfst du schön, und morgen ist alles wieder gut", sagt sie.

Bär und Hase sitzen auf ihrem Bett und sehen neugierig zu, was Laura macht. Sie legt den Finger auf die Lippen und flüstert: „Ihr müsst jetzt schön still sein!"

Dann schleicht sie aus dem Zimmer, wirft dem Stern noch einen Handkuss zu und schließt die Tür hinter sich.

Der Cellobogen

Mama ist gerade dabei, sich zu verabschieden. Heute hat sie ihre erste Vorstellung in der Oper. Sie ist ein bisschen aufgeregt und außerdem schon spät dran.

Sie gibt jedem einen Abschiedskuss, dann nimmt sie ihren schweren Cellokasten auf den Rücken und geht zum Aufzug. Laura, Tommy und Papa winken ihr noch hinterher, dann zerrt Tommy Papa ins Wohnzimmer. Dort soll er mit ihm „Mensch-ärgere-dich-nicht" spielen. Das Spiel mag Laura nicht. Aber als sie in ihr Zimmer zurückgehen will, fällt ihr ein, dass dort der Stern schläft.

Also geht sie ins Übe-Zimmer. Das heißt so, weil Mama hier immer Cello übt. Da stehen in der Mitte Mamas Übe-Stuhl und ihr Notenständer. Und neben dem Notenständer auf dem Boden liegt …
Laura erschrickt. Da liegt Mamas Cellobogen! Aber den braucht sie doch heute Abend zum Spielen
in der Oper! Laura rennt zum Fenster. Unten sieht sie, wie Mama gerade ins Auto einsteigt. Vielleicht kann sie sie noch erwischen, wenn sie sich beeilt!

Ohne weiter zu überlegen schnappt Laura den Bogen und stürmt aus der Wohnung. Im Treppenhaus nimmt sie immer zwei Stufen auf einmal, manchmal sogar drei. Aber als sie unten die Haustür aufreißt, sieht sie Mamas Auto gerade wegfahren. Vielleicht hat sie eine Chance, wenn die Ampel an der Kreuzung auf Rot springt? Laura rennt auf dem Gehweg hinterher. Die Ampel springt gerade auf Gelb, als das Auto dort ankommt, aber Mama fährt noch durch.

„Mist!", denkt Laura. Aber vielleicht erwischt sie Mama ja an der nächsten Ampel!

Laura rennt. Sie erwischt Mama nicht an der nächsten und nicht an der übernächsten Ampel. Schließlich ist das Auto ganz verschwunden und Laura bleibt stehen und schnappt nach Luft. Was jetzt? Wenn sie zurückgeht, muss Papa den Cellobogen zur Oper bringen. Aber womit? Sie haben ja nur ein Auto, und mit dem fährt Mama! Und zu Fuß ist Laura genauso schnell wie Papa. Außerdem hat sie schon ein großes Stück geschafft. Wenn sie das jetzt alles wieder zurücklaufen muss, geht eine Menge Zeit verloren.

Laura beschließt, zur Oper zu laufen und Mama ihren Bogen
zu bringen. Den Weg ist sie doch heute Vormittag erst im Auto
gefahren. Den weiß sie noch. Da ist sie sich ganz sicher.
Also läuft sie weiter.

Mittlerweile hat Tommy beim „Mensch-ärgere-dich-nicht" gewonnen und Papa findet, dass es Zeit fürs Bett ist. Als er Tommy zum Zähneputzen scheucht, fällt ihm auf, dass Laura schon länger nicht mehr aufgetaucht ist.

„Du putzt, und ich seh mal schnell nach, was sie macht", sagt er zu Tommy und geht zu Lauras Zimmer. Der Bär, der Minnie-Hase und der Stern hören ihn kommen und verstecken sich schnell unter der Bettdecke. Als Lauras Papa die Zimmertür öffnet, wölbt und bewegt sich die Bettdecke, so dass es aussieht, als würde Laura darunter liegen.

„Nanu? Schon im Bett?", fragt er.

Die drei unter der Decke versuchen, einer schlafenden Laura so
ähnlich wie möglich zu sein. Sie wollen nämlich nicht, dass Lauras
Papa sie sieht. Und außerdem wollen sie nicht, dass Laura Ärger
bekommt, weil sie weggelaufen ist.
„Noch ein Gutenacht-Kuss? Hm?"
Als Laura nicht antwortet, aber dafür laut zu schnarchen beginnt,
lächelt ihr Papa und flüstert: „Okay, also dann: Gute Nacht!"
Leise schließt er die Tür hinter sich.

Die richtige Laura liegt natürlich nicht in ihrem Bett und schnarcht. Sie irrt durch die Straßen und ist sich immer weniger sicher, dass sie noch auf dem richtigen Weg zur Oper ist. Die Telefonzelle da drüben kommt ihr zwar bekannt vor, aber das Haus vor ihr mit den zerbrochenen Fensterscheiben hat sie noch nie gesehen. Außerdem hätte sie doch längst über eine große Brücke kommen müssen, oder? Hier sind auch keine Leute auf der Straße, die sie nach dem Weg fragen könnte. Ob sie einfach irgendwo klingeln soll? Aber in keinem der Häuser ist Licht. Da wohnt überhaupt niemand.

Laura bekommt plötzlich furchtbare Angst. Sie drückt den Cellobogen fest an sich.

„Mama!", flüstert sie. Aber Mama
ist nicht da. Sie ist in der Oper.
Und Papa ist zu Hause und hat
keine Ahnung, wo sie steckt.
Sie ist allein. Allein auf der
dunklen Straße, allein in der
Stadt, allein auf der Welt.
Da ist nur vielleicht ...
„Stern!", wimmert Laura.
„Stern! Bitte hilf mir!"

Und ihr Stern hört sie. Mit einem Mal leuchtet er wieder ganz hell auf. Seine Freundin braucht ihn. Er muss zu ihr! Aber wie soll er aus Lauras Zimmer herauskommen? Die Tür ist zu. Das Fenster ist zu. Der Stern kreiselt im Zimmer umher und sucht nach einem Weg nach draußen.

Das sieht Max. Das heißt: Er sieht den Lichtschein, der in Lauras Zimmer tanzt, von seinem Schreibtisch aus. Zuerst will er aufs Dach gehen und nachsehen. Aber dann schüttelt er den Kopf. Dieses neue Mädchen – Laura oder wie sie heißt – interessiert ihn nicht mehr.

„Die und ihre blöden Geheimnisse", murmelt er vor sich hin.

Max bleibt also an seinem Schreibtisch sitzen. Aber so richtig kann er sich nicht konzentrieren. Immer wieder starrt er aus dem Fenster. Nach einer Weile hört der Lichtschein auf zu flackern. Aber er ist noch da, das sieht Max genau. Was er nicht sieht ist, dass der Stern jetzt angefangen hat, sich durch den schmalen Spalt unter der Terrassentür zu quetschen. Eine Zacke ist schon draußen. Von drinnen schieben der Bär und der Hase. Und dann kommt zum Glück auch noch Hilfe von außen. Auf dem Dach gehen nämlich gerade Muschka und die Blechkatze zusammen spazieren. Die beiden haben sich dort getroffen, und obwohl sie sehr verschiedene Katzen sind, haben sie sich angefreundet.

Sie sehen die Zacke und fangen an, daran zu ziehen. Und mit vereinten Kräften – Bär und Hase schieben den Stern von innen, und die beiden Katzen ziehen ihn von außen – gelingt es! Whiiisch! – zischt der Stern plötzlich in den Nachthimmel hinauf. Muschka und die Blechkatze kollern übers Dach, Bär und Hase stoßen sich die Nasen an der Tür, aber sie haben es geschafft. Der Stern kreiselt zum Dank ein paar Mal über dem Dach.

Max springt auf und stürzt ans Fenster.

„Ein Stern!", ruft er verblüfft. „Das ist es also, was sie die ganze Zeit versteckt?!"

Was macht dieser Stern bloß? Er wackelt mit seinen Zacken. Und dann – dann fliegt er weg! Aber wohin??

„Also los!", denkt Max. „Jetzt oder nie!"

So schnell wie diesmal ist er noch nie auf die Straße runtergerannt. Und er ist auch noch nie so froh gewesen wie diesmal, dass seine Mutter abends so oft arbeiten muss. Zum Glück steht sein Rad noch draußen. Er fummelt das Schloss auf und schwingt sich in den Sattel. Da! Da vorne fliegt der Stern!

Max radelt los. Der Stern führt ihn in die Richtung, in der der alte Güterbahnhof liegt. Was will er denn da? Ringsum gibt es doch nur alte Fabrikhäuser, die leer stehen!

Max keucht. Der Stern fliegt schnell. Aber immer, wenn Max meint, dass er ihn endgültig verloren hat, sieht er ihn gerade noch um eine Straßenecke huschen.

Der Flug über die Stadt

Laura ist inzwischen in einem Hinterhof gelandet, in dem nur ein Müllcontainer steht. Sie will gerade wieder umkehren, da wird sie von einem hellen Licht geblendet. Es ist ihr Stern!
„Du?", ruft Laura.

„Oh, du bist wirklich ein Freund!"
Der Stern tanzt vergnügt um Laura herum und streichelt ihr über die Wange. Laura streckt die Arme aus und fängt ihn in ihren Händen. Da fliegt der Stern ein Stückchen nach oben und zieht sie mit.

„Uups!", kichert Laura. „Was machst du? Willst du mich tragen?" Genau das will der Stern. Übermütig saust er in dem dunklen Hof herum.

Laura lacht begeistert auf und schreit: „Jippiiie! Wir fliegen!"
Dann setzt sie sich zwischen den Zacken des Sterns zurecht und
sagt: „Los! Zur Oper!"
Und mit einem Glitzerschweif aus Sternenstaub hinter sich stiebt
der Stern hoch auf über die Dächer.
Unten auf der Straße bremst Max sein Fahrrad. Mit aufgerissenen
Augen starrt er Laura und dem Stern hinterher.
„Wach auf, Max!", befiehlt er sich selbst. „Das träumst du doch
nur, oder?"

Der Stern fliegt in den Himmel, hinein in die sausenden Wolken, auf den Mond und die anderen Sterne zu. Dann lässt er sich wieder fallen und dreht und kreiselt. Laura schreit vor Vergnügen. Im Bauch hat sie das schöne, ängstliche Gefühl wie im Karussell. Nur tausendmal toller! In der einen Hand trägt sie Mamas Cellobogen, mit der anderen hält sie sich an einer Sternenzacke fest. Schließlich fliegt der Stern ruhiger, so dass Laura unter sich die Stadt liegen sieht. Da leuchten und glänzen die Lichter der Häuser, die Lichter der Autos, die in den Straßen fahren. Wie ein breites, dunkles Band zieht sich der Fluss durch die Stadt.

Und dann sieht Laura das Opernhaus. Das große Gebäude ist jetzt auch hell erleuchtet. Die Säulen strahlen weiß und golden in der Nacht. Unten zwischen den Säulen gehen Leute hinein.
Laura erschrickt.
„Die Aufführung! Sie fangen gleich an! Schnell, kleiner Stern, sonst kommen wir zu spät!"
Der Stern fliegt durch ein geöffnetes Fenster im halbrunden Kuppeldach der Oper und setzt Laura ab.
Vor der Oper hält in diesem Moment Max sein Fahrrad an.
„Mist!", keucht er. „Jetzt hab ich sie wieder verloren!"
Erschöpft lehnt er sich gegen einen Laternenpfahl und wischt sich mit dem Ärmel den Schweiß vom Gesicht.

Laura geht inzwischen über eine lange Metallbrücke, die an Seilen hoch über der Bühne hängt. Da unten wuseln noch ein paar Leute herum, die die letzten Bühnenbilder auf ihren Gestellen an die richtigen Plätze rücken.

„Puh! Es hat noch nicht angefangen", flüstert Laura erleichtert. Sie klettert von der Hängebrücke herunter und schleicht sich an den Arbeitern vorbei Richtung Garderobe. Am Vormittag hat Mama ihnen nämlich auch gezeigt, wo die Musiker ihre Jacken aufhängen und ihre Instrumentenkästen ablegen können. Da muss Mama sein! Und Laura hat Glück. Mama sitzt, mit dem Rücken zu ihr, und telefoniert gerade mit Papa.

„Da ist er auch nicht?", sagt sie. „So ein Mist! Und das ausgerechnet am ersten Abend! – Ja, natürlich kann ich einen anderen kriegen. Aber du weißt doch, dass ich an meinem alten Bogen hänge. Er bringt mir Glück!"

Laura schleicht sich vorsichtig hinter Mama. Ihr Cellokasten liegt
aufgeklappt neben ihr. Da hinein legt Laura den Bogen.
„Was?"
Mama lauscht in den Hörer.
Laura huscht wieder zurück in ihr Versteck.
Mama dreht sich um, das Telefon immer noch ans Ohr gedrückt,
und langt in ihren Kasten nach dem Cello.
„Du, wir müssen jetzt aufhören zu reden", sagte sie zu Papa.
„Es fängt gleich an.
Tschü…"
Da entdeckt sie den Bogen.
„Warte mal!"
Sie hebt ihn auf.
„Das gibt's doch nicht! Da
ist er ja! – Ja! Mein Bogen!
Aber ich hätte schwören
können, dass … ach, egal!
Hauptsache, er ist wieder
da."
Mama wiegt den Bogen
in der Hand und lacht.
„Jetzt kann mir nichts
mehr passieren."
Laura in ihrem Versteck kichert auch, stolz auf sich und den Stern.
Dann schleicht sie zurück.

„Mist", murmelt Max noch einmal. Dann schiebt er sein Fahrrad herum. Er will nach Hause fahren. Es hat keinen Sinn hier noch länger rumzuhängen. Da trifft ihn ein Regentropfen.

„Auch das noch", denkt Max und legt den Kopf in den Nacken. In diesem Moment fliegen Laura und der Stern wieder vom Dach der Oper los. Als Max sie sieht, leuchten seine Augen auf. Also hat er sie doch noch nicht verloren! Und wieder schwingt er sich auf sein Rad.

„Wollen wir noch ein paar Purzelbäume machen?", fragt Laura den Stern. Aber eine Windböe fegt jetzt auch ihr die ersten kalten Regentropfen ins Gesicht. Laura zuckt die Schultern.

„Macht nichts. Dann fliegen wir eben direkt nach Hause."

Aber der Regen wird rasch immer stärker. Die Tropfen prasseln von allen Seiten herunter. Sie haben noch nicht einmal den Fluss erreicht, da sackt der Stern ab.

Laura kreischt auf.

„Was machst du denn?! Das ist nicht witzig!!"

Der Stern fängt sich wieder, aber mit dem ruhigen Flug ist es vorbei. Der Wind reißt ihn in der Luft hin und her. Sein Licht beginnt immer stärker zu flackern.

Max, der ihnen durch die nächtlich leeren Straßen folgt, runzelt die Stirn, als er sieht, wie die Flugbahn des Sterns immer mehr zu einer Zick-Zack-Bahn wird

„Laura, pass bloß auf!", murmelt er und tritt stärker in die Pedale, um sie nicht zu verlieren.

Regentropfen perlen dem Stern von den Zackenspitzen. Das Pflaster, mit dem Laura ihn zusammengeklebt hat, ist schon völlig durchweicht. Es fängt an, sich an den Ecken aufzurollen und klebt nicht mehr gut. Laura wirft zufällig einen Blick nach unten und entdeckt, was passiert.

„Nein! Halt! Nicht abgehn!", ruft sie ängstlich, und versucht, das Pflaster mit der Hand wieder anzudrücken. Aber es ist zu spät.

Mit einem neuen Windstoß reißt es ganz ab, und die angeklebte Zacke fällt.

„Oh je!", denkt Laura. „Oh je!"

Dann geht alles ganz schnell. Der Stern flackert. Immer schwächer glimmt sein Licht. Und zuletzt – geht es aus. Der Stern stürzt. Um Laura herum beginnt sich alles zu drehen. Entsetzt kneift sie die Augen zu.

Zum Glück ist der Stern inzwischen schon recht tief gesunken. Laura fällt in die Krone eines Baumes. Die Blätter bremsen ihren Sturz. Dann plumpst sie ganz herunter und landet in einem Müllcontainer auf einem Haufen leerer Pizzaschachteln.

Tommy schreckt hoch. Er sitzt in seinem Bett und sieht sich um. Alles wirkt ganz normal. Aber irgend etwas ist gerade passiert. Nur was? Da fällt Tommys Blick auf seinen Beschütz-mich-Hund. Reglos und still liegt er

auf der Bettdecke. Er ist nicht mehr lebendig. Und auch in Lauras Zimmer nebenan hören in diesem Moment Bär und Minnie-Hase auf, sich zu bewegen.

Laura im Müllcontainer dreht den Kopf und richtet sich vorsichtig auf. Mit ihr ist alles in Ordnung. Aber wo ist der Stern?!

Sie springt auf und wühlt zwischen den Pizzakartons. Da ist er nicht. Laura krabbelt aus dem Container und sieht sich um. Ein Auto fährt vorbei. Laura läuft ihm nach. Vielleicht liegt ihr Stern auf dem Dach!

Aber nach ein paar Schritten bleibt sie stehen und lässt mutlos die Schultern sinken. Der Stern kann überall sein.

„Zeig mir doch, wo ich dich suchen soll!", bittet Laura. „Leuchte! Leuchte! Dann finde ich dich schon!"

Damit läuft sie weiter.

Max hat nicht gesehen, wie der Stern mit Laura abgestürzt ist. Die beiden waren gerade hinter einem Hausdach versteckt. Aber er hat gesehen, dass sie im Flug etwas verloren haben. Und das muss ganz in seiner Nähe runtergefallen sein! Vor Max taucht der Fluss auf

und er hält sein Fahrrad an. Am Ufer des Flusses schaukelt eine alte Blechdose auf den Wellen. Das ist nichts Ungewöhnliches. Aber plötzlich glaubt Max, in der Dose kurz etwas aufleuchten zu sehen. Er lehnt sein Rad gegen ein Geländer und rennt die Treppe zum Fluss hinunter. Mit ausgestrecktem Arm angelt er die Dose und greift hinein. Was er herauszieht, kommt ihm bekannt vor. Es ist die Zacke, die er im Park gefunden hat. Aber jetzt sieht sie anders aus als damals. Sie leuchtet nicht mehr.

Max schluckt. Das kann nur bedeuten, dass auch der Stern nicht mehr leuchtet. Und Laura? Was ist mit Laura?

Laura ist inzwischen auch am Fluss angelangt. Auf einer Brücke bleibt sie stehen und ruft schluchzend nach ihrem Stern.
„Er ist weg", denkt sie. „Ich werde ihn nie mehr wiedersehen."
Da sieht auch sie unter sich etwas aufleuchten. Das Licht kommt aus dem Fluss!
„Stern?"

An dieser Stelle ist das Wasser nicht tief, und Laura watet und springt von Stein zu Stein, bis sie den Lichtschein erreicht hat. Der Stern liegt im Wasser. Zum Glück haben sich seine Zacken zwischen den Steinen verklemmt, sonst wäre er weggespült worden. Laura greift ins Wasser und holt ihn heraus. Aber noch während sie dort im Fluss steht und den Stern in den Händen hält, verlischt sein Licht langsam.

„Stern!", schreit Laura. „Nicht ausgehen! Bitte!"
Aber der Stern bleibt grau und leblos. Laura drückt ihn fest an
sich und watet ans Ufer zurück. Unter der Brücke kauert sie sich
zitternd zusammen.
„Das hab ich nicht gewollt", schluchzt sie. „Hätte ich dich doch
nur nach Hause fliegen lassen!"

Max ist den Fluss entlanggegangen und hat immer wieder nach Laura gerufen. Er glaubt nämlich nicht, dass der Stern ohne seine Zacke noch fliegen kann.

„Wie ein Flugzeug mit abgebrochenem Flügel", denkt er. „Das kommt auch nicht weit."

Als er sich jetzt der Brücke nähert, hört er Lauras Schluchzen.

„Hallo?", fragt er. „Laura? Bist du das?"

Laura hebt den Kopf.

„Was machst du denn hier?", schnieft sie.

Max zuckt die Schultern.

„Dich suchen", sagt er.

Laura sieht ihn böse an.

„Du spionierst also sogar hier hinter mir her! Lass mich doch endlich in Ruhe! Mich und ..."

Sie kann nicht weiterreden, weil ihr schon wieder die Tränen kommen.

„Laura ...", sagt Max wieder.

„Und woher weißt du überhaupt meinen Namen?", schluchzt sie wütend.

Max hockt sich neben sie.

„Ich hab gehört, wie dein Papa dich gerufen hat", sagt er. „Ich bin Max."

„Weiß ich doch auch längst!", schluchzt Laura weiter.

Max muss grinsen.

Aber Laura fährt ihn an: „Da gibt's überhaupt nichts zu lachen!"
Und mit einem Mal kommt alles aus ihr herausgesprudelt:
„Mein Stern ist zerbrochen, und anstatt zwischen Sonne und
Mond am Himmel zu funkeln, ist er stumpf und starr wie ein Stein,
verstehst du? Und hätte er wenigstens seine Zacke, gäbe es vielleicht noch eine Chance, ihn dahin zurückzubringen, wohin er
gehört. Aber mein blödes Pflaster hat im Regen nicht gehalten
und jetzt ..."

Wieder kann Laura nicht weiterreden, weil sie so weinen muss.
Da hält Max ihr endlich die Zacke hin.
„Ich hab sie gefunden", sagt er. „Aber sie hat aufgehört zu leuchten."
Laura starrt die Zacke eine Weile stumm an. Dann springt sie auf und zieht auch Max mit hoch.
„Halt mal!", sagt sie und reicht ihm den Stern. Verdattert greift Max danach und sieht zu, wie Laura ihr Hosenbein hochkrempelt.

Auf ihrem Knie klebt noch immer das Pflaster vom Zusammenstoß mit Max. Das reißt sie jetzt ab. Max versteht. Er hält die Zacke an den Stern und Laura klebt sie mit dem Pflaster fest. Aber der Stern leuchtet nur kurz auf und erlischt dann gleich wieder.
Max schluckt und sucht in seinem Kopf nach einer Lösung.

„Vielleicht – vielleicht könnten wir ...", stammelt er. Aber ihm fällt nichts ein. Da sagt Laura: „Ich muss ihn nach Hause bringen. Hilfst du mir?"

Nach Hause

Max strampelt wie ein Wilder. Laura sitzt hinten auf seinem
Gepäckträger und hält den Stern fest im Arm. Während er
strampelt denkt Max: „Das ist doch Blödsinn! Völlig plemplem!
Die lassen doch keine vollkommen durchnässten, schmutzigen
Kinder ohne Eintrittskarten in die Oper rein!"
Aber er fährt so schnell er kann und bald stehen sie wieder vor
dem Opernhaus.

„Wir nehmen den Bühneneingang", sagt Laura und ist froh, dass sie sich gemerkt hat, wo der ist. Der Portier ist ganz vertieft in seine Zeitung, so dass Laura und Max unbemerkt an ihm vorbeischleichen können. Dann rennen die beiden ein paar leere, kahle Gänge entlang.

„Die muss es sein", sagt Laura schließlich und zeigt nach vorne auf eine weiße Metalltür.

„Stage", steht darauf. Das heißt auf Englisch „Bühne" hat Mama am Vormittag erklärt.

Laura drückt die Klinke und die Tür öffnet sich. Jetzt stehen Max und sie auf der großen Opernbühne, und zwar ganz hinten. Vor ihnen hängt eine Stoffwand. Das ist das Hintergrundbild der Bühne. Direkt auf der anderen Seite dieser Stoffwand stehen die Sänger und singen. Dann, noch ein paar Schritte weiter vorne, öffnet sich der große Opernsaal, wo Hunderte von Leuten sitzen und auf die Bühne schauen. Und in dem Graben zwischen Bühne und Zuschauerraum sitzt Lauras Mama und spielt Cello.

Aber all das können Laura und Max nicht sehen. Es scheint weit, weit weg. Wie am anderen Ende der Welt. Nur die Musik klingt leise zu ihnen nach hinten. Laura zieht Max dorthin, wo am Vormittag die Wolke, die Sonne und der Mond gelegen haben. Aber sie sind nicht mehr da.

Laura sieht sich um. Da entdeckt sie Sonne und Mond ganz weit oben unter einem schwarzen Bühnenhimmel voller Sterne schweben. Sie gehören zu dem Stück, das gerade gespielt wird!

„Max", sagt Laura. „Wir müssen da rauf."

Max folgt ihrem Blick und schüttelt den Kopf.

„Du spinnst!", antwortet er. „Außerdem: Was soll das deinem Stern bringen?"

Aber Laura ist schon dabei, die Treppe hinaufzuklettern, die zu der eisernen Hängebrücke führt. Da klettert Max hinterher.

Als sie endlich oben auf der Brücke stehen, fasst Laura ihren Stern mit beiden Händen.

„Was nun?", denkt sie und starrt in den Bühnenhimmel hinein, der jetzt direkt über ihnen ist. Laura ist sich mit einem Mal gar nicht mehr sicher, dass das wirklich der richtige Platz für den Stern ist. Da drehen sich plötzlich Sonne und Mond zu ihr um und sehen sie an. Sie sind keine Figuren aus Pappmaché mehr. Sie sind lebendig geworden.

„Worauf wartest du?", sagt die Sonne zu Laura. „Willst du ihn nicht loslassen?"

Der Mond runzelt seine Stirn.

„Loslassen? Wen soll sie denn loslassen?"

„Meinen Stern!", sagt Laura und hält ihn hoch, damit der Mond ihn sehen kann.

Der verzieht jetzt den Mund und sagt: „Stern? Aber der leuchtet doch gar nicht! Es war völlig sinnlos, ihn hierher zu bringen."

Aber die Sonne sagt: „Hör nicht auf den! Nur Mut! Lass ihn los! Du glaubst doch, dass er dann wieder leuchten kann?"

„Ich hoff's", antwortet Laura zögernd.

„Ach, Firlefanz!", fällt der Mond ihr ins Wort. „Der stürzt nur ab und zerspringt in tausend Stücke. Eine gebrochene Zacke hat er ja schon! Nimm ihn wieder mit! Das ist besser für ihn!"

Lauras Blick geht unentschlossen zwischen dem Mond und der
Sonne hin und her. Dann bleibt er Hilfe suchend an der Sonne
hängen. Aber die sagt sanft: „Kleines Mädchen, schau nicht mich
an. Du musst selbst entscheiden."
Laura schluckt.
Selbst entscheiden ist das Schwerste auf der Welt.
Zuletzt dreht sie sich zu Max um. Der lächelt ihr aufmunternd zu.
„Gut", denkt Laura. Und noch einmal: „Gut."
Sie holt noch einmal tief Luft, dann hält sie ihren Stern in die
Höhe.

„Flieg!", flüsterte Laura. „Flieg!"
Und sie öffnet die Hände. Da beginnt der Stern mit einem Mal
wieder zu leuchten und zu strahlen. Langsam schwebt er nach oben
in den Himmel hinauf.

Aber das ist jetzt gar nicht mehr der Bühnenhimmel! Nein!
Das ist das Weltall! Und Laura und Max werden hinter dem Stern
hergezogen. Schwerelos, in einem Strom von Sternenstaub!
Laura fühlt sich plötzlich so froh, dass sie laut lachen muss, und
Max lacht mit.

Sie fliegen an Planeten vorbei und an Monden, und um sie herum
leuchten Tausende von Sternen. Aber Lauras Stern ist der einzige,
der glücklich um sie herumtanzt und Purzelbäume schlägt. Seine
Zacken leuchten alle wieder hell. Das Pflaster ist abgegangen.
Das braucht er jetzt nicht mehr.

„Schau mal, da!", sagt Max plötzlich. Laura schaut, wohin er zeigt und sieht die Blechkatze. Mit einem Propeller auf dem Kopf tuckert sie an den beiden vorbei und nimmt Kurs auf einen weit entfernten Sternennebel.

„Wo will denn deine Katze hin?", fragt Laura.

„Meine Katze?", fragt Max erstaunt zurück. „Ich dachte, das wäre deine!"

„Hm", macht Laura und sieht der Katze hinterher. Vielleicht ist es ja eine Raumfahrerkatze, die niemandem gehört außer sich selbst. Und jetzt hat sie sich auf der Erde lange genug umgesehen und fliegt wieder zurück. Nach Hause. Zu ihrem Planeten.

Aber lange denkt Laura nicht über die Katze nach, denn jetzt kommt noch etwas angeflogen, aber etwas viel Größeres. Das Raumschiff von Max! Und am Steuer sitzt – Tommy! Zusammen mit Muschka, Bär und Minnie-Hase und seinem Beschütz-mich-Hund!

„Hallo, Tommy!", ruft Laura. „Nimmst du uns mit nach Hause?"

„Klar!", ruft Tommy zurück. „Steigt ein! – Max, dein Raumschiff ist echt super!"

Während Laura und Max einsteigen, sieht Muschka draußen vor dem Fenster etwas vorbeisegeln. Es ist – das Pflaster! Schnell langt sie danach. Und endlich! Sie erwischt es und das Pflaster klebt an ihrer Pfote fest.

Tommy dreht am Steuer und nimmt Kurs auf die Erde.

Laura aber winkt ihrem Stern, solange sie ihn sehen kann.

Und der Stern winkt mit einem Lichtstrahl zurück.

„Laura! Wach auf!"

Als Laura ihre Augen aufschlägt, sieht sie Mama und Papa ins Zimmer kommen.

„Was ist denn heute los?", fragt Mama. „Du schläfst doch sonst nicht so lange!"

Laura reibt sich die Augen und gähnt. Dann sagt sie: „Wir haben gestern Nacht einen tollen Weltraumflug gemacht!"

Mama stutzt. Dann lacht sie.

„Komisch! Genau dasselbe hat mir Tommy vorhin auch erzählt!"

„Hör mal", sagt Papa. „Mama und ich haben uns gedacht, dass wir heute vielleicht einen Ausflug machen könnten. Nach Hause, in unser Dorf. Damit du deinen Baum und deinen Hügel mal wieder siehst!"

Laura setzt sich im Bett auf.

„Hm", macht sie und sieht zum Fenster hinaus. Dann sagt sie: „Weißt du, eigentlich wollte ich heute mit dem Jungen spielen,

der neben uns wohnt. Er heißt Max und er hat ein riesiges Raumschiff!"

Papa sieht sie ganz erstaunt an. Aber dann lacht er und sagt: „Gut, dann verschieben wir unseren Ausflug eben."

„Das machen wir!", sagt Laura. Sie springt aus dem Bett und läuft zum Fenster hinüber. Draußen auf dem Dach steht Max und lässt eines seiner Flugzeuge Probeflüge machen. Er hat schon gewartet, dass Laura endlich aufsteht. Jetzt winkt er ihr zu und ruft: „Hallo!" Auf dem Schornstein sitzt Muschka. Sie schüttelt ihre Pfote. Das Pflaster klebt nämlich immer noch daran fest. Muschka schüttelt wieder. So ein komisches Ding. Erst lässt es sich nicht fangen, und dann lässt es nicht mehr los!

Da geht das Pflaster endlich wieder ab. Ein Windstoß erfasst es und wirbelt es hoch.

Laura sieht es und muss lachen. Glücklich wirft sie einen Handkuss in den Himmel. Und auch wenn sie den Stern jetzt nicht sehen kann: Der Kuss wird richtig ankommen. Ganz sicher.